EL BARCO DE VAPOR

Musiki

Gonzalo Moure

Dirección editorial: Elsa Aguiar
Coordinación editorial: Gabriel Brandariz
Ilustración de cubierta: Eduardo Ortiz

© Gonzalo Moure, 2014
© Ediciones SM, 2014
    Impresores, 2
    Urbanización Prado del Espino
    28660 Boadilla del Monte (Madrid)
    www.grupo-sm.com

ATENCIÓN AL CLIENTE
Tel.: 902 121 323
Fax: 902 241 222
e-mail: clientes@grupo-sm.com

ISBN: 978-84-675-7163-9
Depósito legal: M-12722-2014
Impreso en la UE / *Printed in EU*

La ciudad

no quería tragar más coches. O no podía. La ciudad padecía una monstruosa indigestión de coches. Llovía. Mi coche estaba parado y a mi alrededor veía rostros descompuestos por las gotas de lluvia y por la espera. Perfiles borrosos enmarcados en sus ventanillas. Se escuchaban bocinas impacientes, gritos. Miré el reloj y llegué a la conclusión de que no llegaba al ensayo. Me imaginé a mis compañeros afinando y tocando algunas piezas, pero mirando de reojo mi piano vacío.

Una de dos: o me sumaba a los gritos y los bocinazos, o me olvidaba del ensayo hasta que no hubiera más remedio que llamar y decir que no llegaba, cultivaba la paciencia y aprovechaba el tiempo; o lo desaprovechaba, según quien lo juzgue. Elegí la segunda, o puede que la tercera opción. No lo sabía, aún no lo sabía.

Minutos después, la gente comenzó a salir de los coches al asfalto mojado. Hablaban entre ellos, miraban hacia delante. Bajé la ventanilla, pregunté a un chico que volvía a su coche con el pelo revuelto. Me dijo que nadie sabía nada. Por hacer una broma, le pregunté si no habría caído un meteorito en el centro. Sonrió, entre perplejo e inocente, y no me atreví a decirle que era una broma. Cuando se iba, se volvió y dijo que habría sido un accidente o una manifestación, nada más.

Puse la radio. Fui rastreando las emisoras, pero ninguna hablaba de accidentes ni de manifestaciones, ni mucho menos del atasco. Busqué entonces algo de música. Suelo huir de la música clásica de la radio: o demasiado sabida, o demasiado experimental. Pero oí un piano y detuve la búsqueda. No conocía lo que tocaba, pero me gustaba. Ni idea de quién sería el pianista. Mejor: los pianistas somos demasiado celosos del talento de los demás. La música era extraña. No era clásica, ni tampoco demasiado moderna. Sonaba bien, y en ella había rastros de todas las músicas, desde el romanticismo hasta las músicas africanas, pasando por el blues y el jazz.

Escuchaba el piano con placer cuando alguien se acercó a mi coche con un paquete de pañuelos en la mano.

Primero, el paquete en el cristal. Luego, él. Su piel negra, su sonrisa blanca. Era joven, muy joven, y aun así parecía muy bajo para su edad: apenas sobrepasaba con sus ojos la ventanilla. Su sonrisa estaba a la altura de mis ojos. Tan blanca que al verla parecía que hubieran encendido una luz. Sus dientes sugerían las teclas de un piano, como si fueran las del que estaba escuchando en la radio. Qué extraña sugestión, en un segundo largo: miraba sus dientes y su sonrisa y escuchaba la música, el sonido que parecía surgir de aquellas teclas vivas.

Apagué la radio unos segundos para bajar la ventanilla y le compré el paquete al muchacho negro, pero no me atreví a decirle nada, salvo gracias, a lo que él contestó con la misma palabra y otra sonrisa. Y me hubiera gustado decirle, al menos, que sus dientes parecían las teclas de un piano. También hubiera querido preguntarle cómo se llamaba. Pero no hice nada de eso. Me quedé quieto, mirándole, y volví a la música.

El chico se alejaba, de coche en coche, ofreciendo sus pañuelos. Y seguía lloviendo, sobre el asfalto, sobre los coches y... sobre él. Las gotas formaban pequeñas perlas en su pelo de rizos muy apretados y en la espalda de su chubasquero azul. Se movía entre los coches con agilidad. Como si bailara, como si la música le llevara en volandas, pese al atasco, al humo y a la lluvia.

Yo lo sentía, me dolía. Qué lejos de su tierra, de sus colores, de su aire, de su sol... Aquí, envuelto en humo y en frío y en grisura. Sin sol, sin árboles, en la ciudad inhóspita y cerrada sobre sí misma, intentando entreabrir la celda de cada coche con sus pañuelos. Expulsado de su aldea, de su ciudad, de su país y de su continente por el hambre, la guerra o las plagas y las mentiras sobre lo que les aguardaba aquí, al otro lado del Estrecho.

Cerré los ojos, esperé. Los abrí. El chico seguía flotando de coche en coche, pero nadie más bajaba la ventanilla. Y así, mientras escuchaba la música y veía al muchacho negro que parecía bailar a su ritmo entre los coches del atasco, nació esta historia. Que existe en la extraña dimensión de un atasco, en ningún lugar y en todos. Puede que irreal, pero real al mismo tiempo. Al menos en mi mente. Allí estaba el chico negro, de pronto convertido en protagonista de una historia que crecía en mi cabeza, tan lejos, en África, y tan cerca, en la ciudad lluviosa y fría. ¿Cómo sería su vida de niño, habría crecido entre el detritus de una gran ciudad, o en una aldea? Su paso tan ágil me convenció. «Viene de la selva», me dije. Pensé en ella. ¿Cómo es en realidad? Árboles muy verdes, tierra roja. He viajado a África, pero solo a sus ciudades, para tocar en algún concierto. No conozco la selva. Conozco su música, pero no su imagen, como un ciego. Un ciego capaz de imaginar.

Me recliné en el asiento. Cerré los ojos, hice fuerza con ellos, apretándolos hasta que del fondo de mi cerebro surgió un telón rojo. Rojo sangre, oscuro, en el que brotaban chispas luminosas. Y así empecé a entrever aquella selva, su luz, su sol, sus hombres y mujeres, sus niños...

Había una vez, entre aquellos niños, uno con el pelo rizado, de rizos muy apretados y dientes blancos, que se llamaba...

Musiki

vivía en un poblado de cabañas hechas con barro y troncos finos de árboles blancos.

Musiki amaba la música. Tenía apenas ocho años, pero desde que recordaba, veía la vida a través de la música. Tanto, que incluso los que tocaban los tambores y cantaban en las fiestas y celebraciones solían señalarle mientras decían meneando la cabeza:

¡Loco por la música! ¡Chizi musiki!

Y de ahí su mote. Musiki. Cuando él oía que le llamaban chizi, sonreía y se decía a sí mismo:

Mucho.

Musiki era muy pequeño, el más bajo de todos los niños de su poblado, y sonreía siempre. Y aunque casi todos solían burlarse de él, seguía sonriendo y tocaba el tambor, todos los tambores. Pensaba que cada tambor tenía una voz, la voz del pellejo de un animal que vivía en el tambor, y que a cada uno le gustaba hablar de sus pensamientos, una especie de conversación con el que lo tocaba.

Loco, repetían los demás niños si él decía esas cosas. Todos menos Zia, su prima. Ella se lo tomaba en serio, y también probaba las voces de los tambores.

El que más le gustaba a Musiki era uno diminuto, que se llamaba tutu. Le gustaba el tutu porque podía llevarlo a cualquier sitio con él. Y lo usaba para intentar hablar con los pájaros, con los árboles, con los animales salvajes, con la luna y el sol. Ni los pájaros, ni los demás animales, ni las estrellas ni la luna se burlaban de él nunca: parecían hacer de su música el mismo ritmo y un lenguaje tan natural como el suyo.

La música de su aldea era, sobre todo, de percusión: tambores como el tutu de Musiki y todos lo demás, mucho más grandes; lanzas con aros de metal, calabazas con ranuras, calabazas rellenas de pepitas...

A Musiki le gustaba el ritmo de tambores, calabazas y lanzas y aros de metal, pero no le bastaba. Participaba en los bailes, sí; era siempre el primero en las fiestas y celebraciones, pero en su mente había más música, una música de la que nunca le había hablado a nadie, salvo a los animales, a la selva y al cielo. Una música que no podía acabar de recrear ni con el tutu ni con ningún tambor. Se le escapaba. Sabía que estaba en todo, la sentía en todo, pero no la encontraba, no la acababa de encontrar. Se le escurría entre los dedos de la mente, y sin embargo intuía que aquella música explicaba el mundo como nadie lo sabía ni podía explicar.

Salvo a su prima Zia, nunca le había hablado de aquellos pensamientos a nadie, ni a su madre, demasiado ocupada en conseguir llevar algo de comida a la olla, ni a su padre, que se había ido a la guerra cuando Musiki era apenas un cachorrillo desnudo y no había vuelto... Al único que se habría atrevido a preguntarle era al hombre al que todos en la aldea llamaban, sin mucha imaginación,

el Blanco,

Mzungu, en su lengua.

Mzungu, el Blanco, era aún joven, de pelo claro, largo y lacio, que recogía en una coleta, y vivía en una tienda de campaña verde de la que un atardecer había salido música. Algo inexplicable para Musiki.

Mzungu estaba allí, en la selva, para estudiar a los monos. Los viejos de la aldea respetaban a Mzungu y al mismo tiempo le temían. Y a su paso meneaban la cabeza. Algunos decían que era un brujo. Pero no se ponían de acuerdo en si era un brujo bueno o un brujo malo, y eso hacía que no se hubieran decidido a echarlo de la aldea. Aquella desconfianza, la manera en la que hacían sentir a todos que Mzungu era distinto, hacía que Musiki le sintiera cercano, aunque nunca hubiera hablado con él.

El Blanco llevaba prismáticos para ver lejos y aparatos extraños que llenaba con las voces de los monos. Luego vaciaba los aparatos dentro de la tienda. Musiki se acercaba a ella al atardecer y se sentaba junto a la pared de tela para escuchar las voces de los monos saliendo de sus cajas negras. Una de aquellas tardes, cuando las voces de los monos se extinguieron con un chasquido y Musiki se disponía a alejarse discretamente, apareció la música. Apenas unos compases. Como la de la radio que algunos poseían en la aldea, pero más limpia, distinta. La respuesta a muchas de sus preguntas. Como un relámpago en la oscuridad, la ráfaga de música que salía de su tienda llegaba al corazón de Musiki. Pero la música desapareció tan de repente como había aparecido. Fue la única vez que el pequeño se atrevió a espiar el interior de la tienda. ¿De dónde había salido aquella lluvia repentina de sonido? Se pegó al suelo, juntó su rostro lo que pudo a una rendija y vio a Mzungu recostado en su camastro, con las piernas cruzadas y unos auriculares abrazando su cabeza como una diadema. Con la mano parecía seguir un compás, pero no se escuchaba un solo sonido. Musiki no sabía lo que eran unos auriculares, pero intuía que lo que hacía la mano del Blanco en el aire era seguir el ritmo de una música silenciosa. Como la que él escuchaba a menudo en su interior.

Volvió entonces cada tarde a sentarse junto a la tienda verde de Mzungu, escondido entre los matorrales, esperando que tras las voces de los monos apareciera la música, aunque fuera tan solo un relámpago sonoro como el que había logrado escuchar una vez.

Pero eso no sucedía, de modo que se conformaba con las voces robadas por Mzungu, las voces de los monos de la selva, porque también tenían música para Musiki. Como las de los demás animales de la selva.

Musiki pensaba que cuando Mzungu robaba las voces de los monos con sus aparatos, los monos se quedaban mudos. Y con las voces de los monos capturaba también los musicales cantos de las aves. Y si se quedaban mudas no podrían hacer más música. Eso le preocupaba. ¿Les robaba también el alma Mzungu? ¿No era la música el alma de las cosas, del mundo?

Una tarde, Mzungu había descubierto a Musiki junto a su tienda. El niño hubiera querido huir, pero se quedó paralizado. Las piernas ausentes de sangre. Y de fuerza.

Mzungu se acuclilló junto a él y preguntó, sin mostrar ningún enfado, qué hacía allí, demostrando que hablaba ya bastante bien la lengua de Musiki.

Musiki le contestó que se había sentado junto a su tienda muchas otras tardes, a escuchar las voces de los monos.

¿Te gustan?, preguntó Mzungu.

Sí, dijo Musiki. Pero ahora se habrán quedado mudos, añadió después de una pausa muy larga, como si hubiera tardado en reunir el valor necesario para decirlo.

Mzungu se rio, pero no replicó.

¿Les robas la voz?, preguntó Musiki.

No, rio Mzungu. Se la pido prestada. La grabo. ¿Entiendes lo que es grabar?

Musiki sacudió la cabeza. El Blanco había usado la palabra que en su aldea se usaba para las cicatrices guerreras de las mejillas y la espalda. Grabar... ¿Cómo se podía grabar una voz?

Mzungu invitó a Musiki a pasar dentro de la tienda.

Así verás lo que quiero decir. Es difícil de explicar con tan pocas palabras.

Musiki aceptó, no sin antes echar un vistazo a su alrededor. ¿Los veía alguien? Entrar en la tienda del Blanco... En la tienda de un brujo. Sabía que no era un brujo malo, él lo sabía, estaba seguro. Pero era un brujo al fin y al cabo, que se llevaba las voces de los monos en cajas negras.

Mzungu parecía seguir su pensamiento.

No te preocupes por los monos, le dijo. Puedes ir a verlos y comprobar que siguen igual, parloteando sin parar. Y los imitó, y Musiki rio y se quedó más tranquilo. Si Mzungu no robaba las voces de los monos, no era un ladrón. Ladrón es lo peor que se puede ser en la selva, en la aldea... Peor que brujo malo.

Siéntate, le dijo.

Se sentaron

los dos

en el suelo, sobre la alfombra, apoyados en cojines. La tienda parecía más grande por dentro que por fuera. Estaba ordenada y limpia. A la derecha estaba la cama con las mantas dobladas y una maleta grande que servía de armario. A la izquierda los aparatos, cajas negras con cromados y muchos cables rojos, grises y negros. Como interminables serpientes.

Mzungu cogió uno de aquellos aparatos, acercó una especie de maraca negra a la boca a Musiki y le pidió que dijera algo.

Musiki no sabía qué decir, así que se quedó en silencio.

Canta, si lo prefieres, le dijo Mzungu.

Musiki calló un momento, pero por fin canturreó una canción que había escuchado a su abuela muchas veces. Era una canción que hablaba del sueño que venía, del sueño que se iba, y que dejaba al niño que dormía espíritus de animales buenos.

Cuando acabó de cantar, Mzungu sonrió. Retiró la maraca negra de la boca de Musiki, apretó un par de botones del aparato, y de él surgió una voz que se parecía a la suya y que le asustó. La voz cantaba la nana de su abuela, sobre el sueño que viene y el sueño que se va y deja espíritus de animales buenos en la cabeza del niño. Sonaba distinta, pero era él. A Musiki le entró miedo, pensando de nuevo que ahora tal vez se habría quedado sin voz, y tal vez su abuela sin canción.

Pero no se atrevía a intentar hablar. Abrió mucho los ojos y con la mano derecha hizo un gesto delante de su boca, como cogiendo el aire en hebras entre los dedos, que quería decir: ¿Me has robado la voz?

Mzungu soltó una carcajada.

¿Por qué no intentas volver a cantar?

Musiki tenía miedo. Carraspeó y... cantó.

Al cantar, al escucharse cantar sin problemas, Musiki sonrió. Luego rio, golpeando con la mano en la alfombra, aliviado porque tampoco a él le hubiera robado la voz.

Al reír, Musiki enseñaba sus dientes, de un blanco puro, inmaculado.

Mzungu también reía.

Cantas muy bien, le dijo.

Musiki bajó la cabeza y dijo en voz baja:

Ya lo sé.

A Mzungu le brillaron los ojos. No decía nada. Fue Musiki el que de pronto continuó:

Lo que más me gusta en el mundo es

la música.

¿Por eso te llaman Musiki?, preguntó Mzungu.

Musiki asintió con la cabeza.

Dicen que estoy loco.

Mzungu acarició su cabeza.

Bobadas, dijo.

No, si tienen razón, dijo Musiki.

¿Sí?

Sí. Ellos solo tienen palabras.

Supongo, dijo Mzungu.

Pues yo, dijo Musiki, no tengo solo palabras.

¿No?

No, dijo Musiki agitando la cabeza. Yo tengo también músicas, ¿sabes? Unas veces son palabras, otras veces son músicas.

¿Que tienes músicas? No lo entiendo.

Mzungu parecía extrañado de verdad.

Sí, dijo Musiki después de un silencio en el que parecía escuchar algo que venía de su interior.

En mi cabeza a veces solo hay música. Como en la selva. Pero yo luego tengo que hablar si quiero que me entiendan.

Musiki parecía obcecado. En realidad era la segunda vez que intentaba explicar aquello. Nunca se había atrevido, ni con sus padres, ni con sus hermanos, ni con nadie; solo con su prima Zia. Los demás se hubieran burlado aún más de él de lo que normalmente lo hacían. Bueno, al menos Zia no se había burlado, pero no estaba seguro de que lo hubiera entendido del todo.

Aspiró aire, sacudió la cabeza y pensó: La selva no tiene ni músicas ni palabras. Toda ella es música. Lo pensó, y hubiera querido decírselo al Blanco, pero no lo hizo.

Mzungu le miraba. Tampoco decía nada. De pronto se levantó. Tenía una televisión cubierta con una manta. Como la televisión del jefe de la aldea, que solo los mayores habían visto alguna vez cuando Serem'ala, el carpintero, le traía algo que ver en ella al jefe; una cinta, decían. La televisión servía para ver cosas que sucedían en otro sitio, pero en la aldea no se veía nada, por más que el jefe acercara al cielo algo que llamaba antena, colgándola en el más alto de los árboles. En la televisión solo se veía algo cuando el carpintero traía de la ciudad aquellas cintas, y Musiki no había podido ver nunca nada de lo que había en las cintas.

Mzungu apretó botones y la ventana de la televisión se llenó de luz. Y dentro de la ventana había gente. Musiki tuvo miedo y empezó a levantarse para huir de aquella gente pequeña.

¡Espíritus!, gritó.

Pero Mzungu negó con la cabeza riendo y le tranquilizó.

No pasa nada, le dijo. Su imagen también es prestada. No están ahí de verdad, solo su imagen y su música... Es también una grabación, como lo de antes, pero ahora también con imágenes.

¿Una cinta?

Mzungu sonrió: sí, una cinta. Bueno, un disco.

Disco. Esa palabra sí que la conocía. El sol era un disco, un disco caliente y lleno de luz, que derramaba sobre todas las cosas.

¿Sería de verdad brujo?

Musiki dudaba, pero se dijo que si todo aquello era brujería, era brujería buena. No mala, no; mala no.

En la ventana de la televisión había gente blanca. Todos sentados con instrumentos raros en las manos. Todos vestidos igual, de negro, con camisa blanca y extraños lazos en sus cuellos.

Pero lo que más le gustó a Musiki era la música que salía de sus instrumentos. El relámpago, de nuevo. Esta vez no desapareció en el aire. Seguía allí, se deslizaba, fluía. Era suave como la sopa de tapioca, dulce como el mango. Y formaba olas en el aire, como la brisa de la primavera en las copas de los árboles.

Musiki miraba y miraba a la gente de la ventana, y escuchaba y escuchaba su música. Tan parecida a la música misteriosa que siempre había estado en su cabeza, y de la que no había hablado a nadie antes, salvo a Zia. ¡Tenía que contárselo!

Y de pronto, ocupando toda la ventana de la caja de Mzungu, apareció

el piano.

Musiki no sabía que se llamaba piano. Lo que vio fue una mesa negra, de forma muy extraña, con un borde blanco en el que un hombre blanco, o la imagen de un hombre blanco, apoyaba las manos. No, no golpeaba con las manos, como los músicos de su aldea y él mismo golpeaban sobre los tambores. Lo hacía solo con los dedos. Largos y ágiles. Y tampoco era un borde completamente blanco. Sus ojos parecieron acercarse a través de la pantalla a las manos del hombre y Musiki vio que los dedos se posaban o golpeaban en pequeños pedazos rectangulares de madera blanca, entre los que había otros más finos y pequeños, de madera negra.

La curiosidad y la excitación habían podido con el miedo, y Musiki acercó aún más los ojos a la pantalla. Y vio que de cada trozo de madera blanca, y de cada trozo de madera negra, los dedos del hombre del televisor sacaban una nota musical distinta. Y todas las notas formaban un conjunto, algo maravilloso, exultante: pequeños golpes que sonaban como la voz de la abuela de Musiki, como los pájaros, como la luna llena... como la música que siempre ocupaba su cabeza, y que no sabía de dónde venía.

¿Venía de allí?

¿Te gusta?, preguntó Mzungu, sacándole de sus pensamientos.

Musiki movió la cabeza afirmativamente, sin separar los ojos ni los oídos de la ventana en la que un hombre golpeaba trozos de madera negros y blancos de los que manaba aquella esencia inasible.

Es un piano, dijo Mzungu.

Piano, repitió Musiki.

Piano, volvió a decir Mzungu.

Piano, dijo una vez más Musiki.

Y apoyaba los dedos en la alfombra, imitando el movimiento de las manos del pianista.

El hombre del piano desapareció de la ventana de la caja, y en su lugar había varios hombres que sostenían instrumentos de cuerda que frotaban con algo parecido a arcos, sosteniéndolos entre la cabeza y el hombro.

Violín, dijo Mzungu.

Violín, repitió Musiki.

Violín, volvió a decir Mzungu.

Y en la mente de Musiki se grababan todos los detalles. Una mesa negra con trozos de madera blancos y negros en su borde, una especie de calabaza roja que tenía cuatro cuerdas que se rascaban con aquel extraño arco.

Y los sonidos. Cada una de las maderitas blancas era dueña de un sonido distinto. A la izquierda, graves; a la derecha, más agudos, casi como voces de pájaros después de la lluvia. Y de cada cuerda de la brillante calabaza rojiza, un largo llanto, dulce como la tapioca, dulce y largo como el sabor del mango, como la voz de su abuela cantando una nana.

Y otros hombres, otros instrumentos, algunos de metal, en los que soplaban. Otros de madera negra y pequeñas piezas también de metal. Otro más, enorme, parecido a las pequeñas calabazas del llanto dulce, pero mucho más grande.

Violonchelo, decía Mzungu.

Violonchelo, repetía Musiki con dificultad.

Arpa.

Arpa, repetía Musiki.

Y la música terminó, y el hombre del piano se levantó, y había mucha gente a la que aún no había visto, gente que daba palmadas en la ventana, tan blancos como Mzungu; pero aquello ya no era música, sino ruido. Pero no ruido malo, sino ruido alegre, como los gritos de las mujeres de la aldea cuando algo las llenaba de gozo.

Les ha gustado, dijo Musiki.

Mucho, dijo Mzungu.

Mucho, repitió Musiki.

Cuando salió de la tienda de campaña de Mzungu, Musiki pensaba en la música que había abandonado por fin su cabeza, y que estaba también dentro de aquella extraña caja. Y en el arpa, y en los violines, y en el piano. Sobre todo en el piano.

El misterioso pianista de la radio concluyó su interpretación, y el sonido, la última vibración, fue sustituido inmediatamente por la voz aséptica de un locutor que no dijo ni quién era ni qué había tocado. Abrí los ojos y miré el reloj. Los minutos habían volado. Llamé a uno de los músicos. No puedo llegar, un atasco terrible, le dije. Hubo risas al lado del teléfono. Ensayarían sin mí. Me despedí, colgué.

Un par de segundos más tarde, una sombra se acercó a mi ventanilla. Por un momento creí que se trataba de Musiki, o más bien del Musiki real, el muchacho negro de los pañuelos. Pero era una chica con gorro de lana y anorak rojo que vendía bocadillos. También negra. Seguramente compraba los bocadillos en un bar y nos los intentaba vender a los conductores atrapados. Me miraba con ojos de pena, tiritando bajo la lluvia. Volví a bajar la ventanilla.

¿De qué son?

Llevaba tres o cuatro en una bolsa, envueltos en papel de aluminio.

Jamón y queso, jamón, queso.

Su acento era agradable y lejano, dulcemente exótico.

¿Nada más?

Entonces sonrió y su rostro cambió.

Llevo uno para mí, pero si quiere...

Jamón y queso, sonreí, negando con la cabeza.

No le había preguntado el precio. Era aún más evidente que los revendía. No protesté por pagar un poco más que en un bar. Los servicios se pagan.

Mientras cerraba la ventanilla y la chica se iba hacia otro coche, en la fila de al lado, vi pasar cerca de mí al muchacho de los pañuelos.

Hubiera querido decirle: Eh, Musiki, estoy imaginando en mi cabeza una historia en la que tú acabas de oír, por fin, la música que siempre estuvo en la tuya.

Pero no dije nada. Me limité a mirarle mientras abría el paquete del bocadillo y el chico se perdía de nuevo entre los coches.

El jamón era de York, insípido, y el queso de lonchas tenía aún menos sabor. Pero el pan era reciente y olía un poco a tahona.

Lo comí, disfrutando con las muelas el crujido de la corteza, y busqué en el asiento de atrás una botellita de agua mineral. Estaba fresca y limpia. Cerré los ojos. Pensé en la niña de los bocadillos. Me quedé dormido, o en el intersticio que hay entre el sueño y la vigilia.

La luz reverberaba y el viento producía en las hojas de los árboles un sonido de lluvia. Con el piano aún en sus retinas, Musiki buscó a Zia en su choza.

Tengo algo que contarte.

¡Ah, Zia!

Era su madre.

¡Las cabras!

Tengo que irme, le dijo Zia a Musiki, los ojos tristes.

Vio cómo se iba. Tenía que dar de comer a las cabras. Y luego, seguramente, su madre la mandaría a por agua, y quién sabe después a qué más.

Musiki se resignó. Solía estar solo. Se adentró en la selva y buscó

un tronco del árbol del ébano.

Sabía por dónde crecían algunos árboles de madera de ébano, aunque cortarlos estaba prohibido por los hombres de los uniformes. Por fuera, sus troncos no parecían esconder aquella materia preciosa, tan parecida a la piedra.

Se subió a una acacia para otear el horizonte. Y poco después descubrió sus copas, hacia el sur. Caminó cerca de media hora, hasta que casi se dio de bruces con ellos. La selva murmuraba voces de pájaros y cantaba. Y Musiki con ella. Era música, pero no era la que buscaba. Musiki caminó bajo las copas de los árboles hasta que de pronto encontró uno caído, fulminado por un rayo en las lluvias más recientes. Y allí dentro, bajo la capa de corteza gruesa y rugosa, estaba el ébano, una circunferencia negra, de un negro absoluto y perfecto, sin matices. Lo tocó con los dedos e imaginó una nota. No lo sabía, pero la nota era un La mayor. Así sonaba en su mente, sin nombre ni apellido.

Contempló el tronco, se inclinó sobre él, lo abrazó y tiró hacia arriba. Pobre Musiki, tan pequeño y frágil, intentando el milagro. Imposible de mover. Ni un poco siquiera. Un mono gritó, no muy lejos, y su grito parecía una carcajada burlona.

Musiki se sentó en el tronco acariciando la madera negra, pensativo. Y estaba a más de un kilómetro de la aldea. Era peligroso quedarse allí, y lo sabía muy bien. Más de un niño demasiado aventurero había sido devorado por las fieras.

Sin embargo, Musiki se quedó sentado en el tronco. Sí, podía convertirse en un magnífico piano. Pero necesitaba ayuda. Musiki intentó pensar. Tenía que encontrar a alguien que le ayudara a cortar un buen pedazo del tronco, y después abrirlo por la mitad, y... No lograba pensar con claridad. Las ideas iban por un lado en su mente, mientras que en la otra mitad sonaba el piano de la televisión de Mzungu. Música e ideas luchando en su cabeza. ¿Sería verdad, estaría loco? Pensó en Zia. Pero su prima no podía ayudarle para llevarse aquel pesado tronco. Y no había nadie más.

Hasta que se abrió una luz en su mente. Serem'ala. El carpintero de la aldea. Usaba el ébano para tallar elefantes y otros animales, y también cucharas, cucharones y cuencos. A menudo se iba con sus productos. A veces tardaba meses en volver y cuando lo hacía echaba pestes de la ciudad, pero allí ganaba dinero con el que compraba cosas asombrosas y desconocidas. La más asombrosa, un coche, un Lanrova de color marrón claro con manchas verdes. El Lanrova de Serem'ala tenía una cabina en la que cabían tres personas, más si había niños, y una parte descubierta atrás, perfecta para trasladar cosas grandes. Como troncos.

Musiki le había visto recientemente, así que era muy probable que estuviera en su choza, en la aldea. Y siempre le agradecería que le dijera dónde podía encontrar un buen tronco caído de madera de ébano.

Serem'ala ya no cumpliría los cincuenta, pero se conservaba mucho mejor que los demás ancianos de la aldea. Su pelo era blanco y no había diferencia entre barba y coronilla, todo era como un tejido de fibra de coco muy espeso y de rizos pequeñísimos, acaracolados.

Musiki caminó con decisión, llegó a la aldea y se plantó delante de la choza del carpintero, jadeando aún. No podía hacer otra cosa que esperar. Le echaría sin contemplaciones si cometía un atrevimiento tan grande como entrar por la puerta o llamarle desde fuera. Un niño no hace esas cosas. Así que se sentó en la tierra roja y esperó. Se escuchaban los golpes de los martillos y las gubias de Serem'ala, a veces lentos como el canto de la lechuza de la noche, otras veces rápidos y ligeros como el piar de los chorlitos. En la mente de Musiki aquel ritmo tenía una extraña lógica, como si quisiera decir algo.

Al final se hizo el silencio. Hubo sonido de agua. Serem'ala lavaba su sudor, sin duda. Y salió, limpio y brillante, su pelo blanco lleno de luz, oliendo a savia y serrín fresco.

Musiki hubiera querido hablar con música para decirle al carpintero lo que quería. Se lo diría imitando las notas de aquello que Mzungu llamaba piano. Pero Serem'ala no le entendería. Así que usó las palabras para hablarle al carpintero del tronco del árbol de ébano. Que él sabía dónde estaba. Que era enorme, de más de veinte pasos de hombre de largo. Que le llevaría hasta allí si le daba un pequeño trozo, de no más de dos pasos.

¿Y para qué quieres un trozo tan grande de ébano?, preguntó Serem'ala sin poder ocultar una sonrisa, secretamente sorprendido por la obstinación del niño. Parecía medirlo, tan pequeño en comparación con la fuerza con la que le pedía aquello.

Musiki se encogió de hombros. Y no dijo nada. Esperó. Hasta que Serem'ala refunfuñó un poco y le preguntó si llegarían al tronco con el Lanrova.

Creo que sí, contestó Musiki.

Pues vamos allá.

Y fueron.

Era la primera vez que Musiki montaba en un coche. Una parte de sí mismo lamentaba que no le vieran otros niños, pero en realidad le importaba poco. Había visto a Serm'ala cargar aquella ruidosa herramienta y una lata de gasolina. La herramienta que serraba un tronco más deprisa que doce hombres jóvenes, y sin esfuerzo. Aunque hiciera un ruido enorme y desagradable que a Musiki le molestaba especialmente, aquella herramienta quería decir que Serem'ala pensaba aprovechar de verdad el ébano. El corazón le latía acelerado cuando el motor del Lanrova se puso en marcha después de varias toses.

Se perdieron varias veces, pero Serem'ala no parecía enfadarse.

Es que llegué andando y volví andando, se excusaba Musiki, sintiendo el estómago revuelto. Una cosa era ir a pie, sin importarle por dónde caminaba, y otra distinta era ir en coche.

¿Por aquí, entonces?

Por aquí, sí.

Al final llegaron.

Bien, bien, bien, dijo Serem'ala echando pie a tierra, con los ojos muy abiertos. Parecía tan sorprendido como satisfecho. Estudió el tronco por donde lo había partido el rayo, acarició la enorme veta de ébano de su interior como unas horas antes había hecho el pequeño. Midió a pasos su longitud y a palmos su grosor. Bien, bien, bien, repetía, y de vez en cuando le echaba un vistazo de reojo a Musiki, que esperaba.

¿Y para qué quieres tú el ébano?

Musiki no respondió a la primera. No sabía qué decir. Si intentaba llevar las palabras a su lengua, las sentía ridículas y sin sentido.

¿Lo serrarías por la mitad?

Y Serem'ala dijo que sí encogiéndose de hombros. Sacó de la parte de atrás la máquina que serraba deprisa. Musiki se tapó los oídos, pero no los ojos. Le gustaba ver cómo aparecía la luna negra en el interior del tronco. El carpintero se movía despacio, y cuando la máquina se atragantaba y quedaba silenciosa, reía y cantaba meneando la cabeza, como si en el fondo dudara de su efectividad. Luego tiraba de la cuerda y la máquina tableteaba y por fin volvía a rugir. Tuvo que recargar su depósito una vez, pero después de un rato no muy largo había despojado de las ramas el tronco y lo había troceado. Después, con una hachuela, descortezó, dejando apenas una fina capa de corteza fresca que abrazaba el corazón de ébano.

Este es el tuyo.

Dos pasos largos de negro ébano. Olía a savia y serrín, a vida quieta, y los pájaros que habían huido con el estruendo iban volviendo y alborotaban de nuevo.

Musiki acarició el tronco, soñando músicas.

Entonces, ¿lo sierro por la mitad?

Musiki hizo un gesto deslizando la mano por el aire en paralelo al suelo: quería decir sí, pero a lo largo. Serem'ala le imitó haciendo el mismo gesto:

Ya.

Le llevó un buen rato. La sierra patinaba contra la noche del corazón del árbol del ébano y de vez en cuando carraspeaba. Serem'ala sudaba, pero no se rendía.

Abierto por la mitad, el ébano no reflejaba un átomo de luz, pero a los ojos de Musiki relucía.

Una mitad me basta, dijo Musiki.

Serem'ala volvió a sonreír mientras acariciaba la lisa madera negra.

Después, el pequeño ayudó lo que pudo a Serem'ala a cargar las dos mitades y los demás trozos de tronco en el remolque, y emprendieron el regreso.

¿Dónde está tu choza?

Pero Musiki negó con la cabeza y le pidió que le dejara con el tronco en un claro, casi en la aldea ya.

Aquí.

Serem'ala estrechó su mano antes de volver a subirse al Lanrova.

Si encuentras otro árbol de ébano abatido por el rayo, vuelve a decírmelo. Te tallaré un león, un gran elefante te tallaré. Y para la olla de tu madre, una cuchara larga también te tallaré.

Cuando se fue con su coche renqueante, Musiki miró el fragmento de ébano de dos pasos de largo. Sentía tanta emoción ante él como había sentido ante las imágenes de la caja de Mzungu. Lo ocultó con ramas y hojas.

Fue a comer a casa, y entre los trastos de la cocina encontró una hachuela perfecta para lo que necesitaba. Pasó por el claro, comprobó que la pieza de ébano seguía allí y se fue hacia el bosque para buscar madera tierna de corazón blanco.

Cortó, troceó, y llenó una bolsa de rafia de pequeños trozos de madera nívea y fresca, de forma alargada y plana.

Volvió al claro e incrustó los trozos de madera blanca en el borde del tronco negro haciendo huecos con el hacha, con mucho cuidado y paciencia.

Colocó doce trozos, aunque aún le quedaba sitio para muchos más.

Entonces se sentó ante el piano. Lo miró largamente. Su mente estaba llena de pájaros y cada uno era una nota, y el cielo un conjunto armónico de música. Entonces, despacio, puso el dedo meñique de su mano izquierda en la madera blanca que estaba en el extremo izquierdo. Y al hacerlo imaginó que de ella, y del tronco, salía un sonido grave como el que había escuchado en la tienda de campaña del Blanco.

Después, pulsó con el segundo dedo la segunda tecla, y le asignó un sonido un poco más agudo. Y el dedo corazón, otra nota. Y el dedo índice, otra, cada una más alta que la anterior.

Volvió a probar, con los ojos cerrados. Una, dos, tres, cuatro. Corrió la mano por encima de las teclas blancas, y tocó la quinta tecla. Abrió los ojos y descubrió que la nota que imaginaba podía ser aún un poco más alta. Y la sexta, y la séptima, y la octava... ¡Sí!

En la octava se detuvo, extrañado. Volvió a la primera tecla, la del extremo izquierdo del tronco, la probó, y luego, la octava.

Y en el cerebro de Musiki se encendió una luz. La nota era la misma en la primera tecla y en la octava, solo que más alta. ¿Se repetiría?

Tenía doce teclas, y no podía saberlo, así que hizo más teclas blancas y siguió incrustándolas, una junto a otra.

Cuando llegó a la dieciséis, probó de nuevo. Sí, la nota era la misma que la primera y la octava, pero otra vez era la misma y no era la misma. Es decir, que tenía que serlo, pero si era así sonaría mucho más alta que la primera, y un poco más que la octava.

Musiki siguió hasta que la noche inundó la selva. La luna parecía contenta asomando por entre las copas de los árboles para ver lo que había hecho el pequeño.

Me lo llevo, le dijo Musiki a la luna.

Cuando entró en su cabaña con su tronco negro lleno de maderitas blancas incrustadas sobre el hombro, su madre le preguntó qué era aquello.

Un piano, respondió Musiki, muy serio.

Su madre se rio al escuchar aquella palabra de blancos, porque no sabía lo que quería decir piano. Del hombre blanco había aprendido otras palabras, como guerra, fusil, sida... Pero piano... En fin, aquello no parecía hacer daño a nadie, y menos aún a un niño.

Ay, qué ideas tan raras, murmuró la madre de Musiki. Y le dejó que se sentara en un rincón de la cabaña, delante del tronco negro con maderitas blancas.

Musiki no decía nada, no emitía sonido alguno con su garganta. Tocaba con sus dedos las teclas, e imaginaba su sonido. Y en su mente se iba produciendo la misma música que había escuchado en la televisión de Mzungu. Si las notas fueran visibles, al cabo de unos minutos toda la cabaña estaría llena de ellas, como se llenaba de moscas en el verano.

Sin embargo, no era igual del todo. Algo fallaba. Y que fallara algo le inquietaba.

Musiki se durmió pensando qué podía haber olvidado.

Cuando amaneció, ya lo sabía: faltaban unos trozos de madera negra más pequeños, que en la caja con ventana de Mzungu se veían mal. ¿Cuántas maderas negras había? No lo sabía. ¿Y cómo sonaban? Tampoco podía imaginarlo, y eso le inquietaba.

Volvería a la tienda del Blanco. Y no solo vería las teclas negras, sino que volvería a escuchar el piano, descifraría el sonido de aquellas teclas largas negras y misteriosas.

Se sentó y esperó. Los dedos se le movían solos sobre las rodillas.

Cuando Mzungu llegó parecía de mal humor. Venía sudando, cargado de trípodes y aparatos extraños. Pero el ver a Musiki recuperó la alegría.

¿Piano?

Musiki bajó la cabeza, avergonzado. Y ni siquiera sabía por qué. No esperaba que el Blanco le recordara, o quizás había sido oír la palabra en voz alta de nuevo, o pensar en su trozo de madera de ébano y compararlo de pronto con aquella maravilla que había visto en la pantalla del televisor.

Pasa.

Mzungu le ofreció agua de coco, se lavó la cara y las manos en una palangana mientras Musiki bebía del vaso y conectó con un cable el aparato a una batería de coche. Trasteó un poco en otra caja plana y negra, metió un disco brillante en ella y Musiki vio cómo aparecía otro hombre sentado ante el piano.

Esperó a que se viera bien el teclado. ¿Por qué no podía ver lo que quería, por qué la imagen se iba a otras cosas que no le interesaban en absoluto? Hubiera querido preguntárselo a Mzungu, pero no se atrevía. ¿Qué derecho tienes a exigir lo que quieres ver?, se decía.

Pero por fin hubo un plano del piano, más de cerca, y sí, allí estaban las teclas negras, lisas y estrechas. Trató de contarlas, pero la imagen se empeñaba en irse de nuevo al rostro del que iba a tocar el piano, al público que se disponía a escucharle como Musiki, pero en sus butacas.

El pianista tenía un aspecto extravagante para el pequeño, como uno de aquellos raros blancos que llegaban a la aldea llevados por algún guía turístico en jeeps destartalados. Con un gorro de lana pegado al cráneo, una nariz enorme, gafas como las que se ponían algunos ancianos de la aldea para ver mejor, y boca sonriente. Resultaba casi ridículo, pero cuando comenzó su interpretación todo cambió. Musiki no entendía bien los nombres que iba pronunciando Mzungu: Gulda, Betoven, Baj, pero tampoco le importaba. Se concentraba tanto en lo que sucedía en la pantalla que Mzungu tuvo que indicarle poniéndole la mano en el hombro que no debía acercarse tanto. Y Musiki comprobó que tenía razón. Hasta lo veía mejor si se retiraba un poco.

41

Y desde el momento en el que Mzungu le puso los auriculares en los oídos y conectó el cable, se estableció entre los dos un vínculo inquebrantable.

Al principio, el niño se asustó: la música no venía de fuera, como antes, sino de dentro de sus oídos. Y su vibración le acariciaba las orejas. Así que tenía razón: cuando Mzungu se ponía aquello en la cabeza... escuchaba la música desde dentro también.

Se podría decir que no se perdió ni una nota, y no sería ninguna exageración, sino una descripción perfecta de lo que sentía: cada nota iba ocupando un lugar en su mente, asociada a lo que podía ver del movimiento de las manos y los dedos de Gulda. Y la tensión, y la fuerza, y la delicadeza, y el alma. Durante toda su corta vida, Musiki había oído hablar a los viejos del espíritu del fuego, del de la tierra, del del agua, del de cada una de las cosas que formaban parte de la vida, pero nunca lo había entendido tanto como viendo las manos de Gulda, extrayendo el alma del piano, separando y uniendo sonidos, produciendo emociones que rebosaban, se amansaban, estallaban, fluían, desaparecían dejando en el aire un hueco que de inmediato era reemplazado por un nuevo torrente: gozo, excitación, lejanía, melancolía, pasión. Gulda, brujo bueno.

Por fin entendía el papel de las teclas negras. En realidad eran medios tonos: igual de lejos de la nota anterior que de la siguiente. ¡Pero no siempre! Miraba los dedos de Gulda, y el estómago se le apretaba cuando lograba anticiparse una centésima de segundo: ¡Ahora! Y sí, Gulda presionaba una o dos teclas negras, donde debía ser...

Durante los días siguientes, Musiki dedicaba las mañanas a acabar y pulir el piano de ébano, y por las tardes escuchaba música y veía a los músicos en la tienda de Mzungu. Ya entendía el teclado perfectamente, y logró que Serem'ala le tallara las treinta y dos teclas negras, que puso en grupos de dos y de tres entre las blancas. Las negras más altas, sobresaliendo por encima del nivel de las blancas, tal y como aprendía cada tarde en la pantalla.

Mzungu disfrutaba viendo a Musiki ante el televisor, sin imaginar ni por un instante lo que estaba ocurriendo en su interior, y mucho menos lo que hacía por las mañanas con el tronco de ébano. Simplemente, le gustaba ver al pequeño entregado a la música. Había leído en algún sitio que aunque alguien no hubiera oído jamás música clásica occidental, las emociones que producía en su corazón eran semejantes a las que sentía cualquiera más habituado a ella. Y Musiki parecía confirmarlo.

Serem'ala ya confiaba en él, y le dejaba herramientas cada vez más finas para engarzar y pulir las teclas.

Hasta que un día Musiki dio por acabado el piano.

El sol se ponía como se pone en África, muy deprisa, cuando por fin Musiki pudo probarlo.

A sus ojos tenía un aspecto imponente. Como piano, a un experto le parecería raro, es verdad, incluso ligeramente monstruoso. Un poco torcido, redondo por la barriga, irregular y tosco. Musiki no veía sus defectos. Lo miraba y le parecía

perfecto.

Se sentó en el suelo, ante él, y apoyó sus dedos en las teclas. En su cabeza crecía la música, encajaba con la que siempre había imaginado, con la que flotaba en su corazón, en sus tripas, y por fin con la del televisor de Mzungu.

Sus dedos iban cada vez más deprisa, y la música también. No apretaba las teclas porque sí. Cada tecla se correspondía con un sonido exacto en su mente, y cuando presionaba dos a la vez, el sonido se hacía más y más hermoso...

A los demás niños de la aldea de Musiki, el piano les pareció fascinante.

Musiki se iba con él a un claro de selva nada más amanecer, porque su madre le echaba para poder arreglar la choza. Y porque buscaba estar solo para poder experimentar con las teclas y los sonidos imaginarios.

Sin embargo, pronto se vio rodeado de primos, hermanos, amigos...

No es difícil imaginarlos: Musiki en el centro, apretando las teclas blancas y negras del piano, en absoluto silencio, sin producir ningún sonido, pero con los ojos cerrados, transportado a lugares también invisibles. Y, a su alrededor, una docena de niños y niñas en cuclillas, con los ojos y la boca muy abiertos...

Hasta que uno de ellos se atrevió a decir lo que algunos pensaban, ratificando lo que siempre habían pensado de él:

¡Chizi! ¡Está loco!

Los demás rieron. Pero no todos.

Toc, toc.

Abrí los ojos. Alguien golpeaba discretamente mi ventanilla. La vi entre las gotas de lluvia que se deslizaban por el cristal. Era la niña de los bocadillos. Volví a bajar la ventana.

¿Otro?

Iba a decir que no, pero vi la bolsa. Llena.

Sí. De queso.

Su sonrisa valía más que mi dinero, más que nada.

Zia, te toca, me dije mientras ella se alejaba mucho más ligera y contenta entre los coches.

Todos se reían de Musiki, le cantaban chizi chizi, musiki chizi... Hasta que se oyó una voz más alta que las demás, una voz de niña:

¡Y qué sabéis vosotros!

Hubo sorpresa. Y opiniones distintas. Al final, los partidarios de seguir burlándose de Musiki, todos menos la niña, se fueron a jugar al balón. A darle patadas de verdad, no a imaginarse cosas.

¡Una música que no se oye!, dijo uno de ellos mientras se iban. ¡Bah!

Zia tenía nueve años y, de un modo remoto, era prima de Musiki. Alta y delgada, de piel liviana, de ojos tan grandes y luminosos como las lunas del fondo de los pozos al mediodía.

Zia significa tesoro, y eso le parecían sus ojos a Musiki: pozos, cofres cerrados sobre dos tesoros.

¿De verdad oyes esa música?, le preguntó cuando se quedaron solos, señalando el extraño piano.

Él se quedó pensando. ¿Sería capaz de decirle a Zia cómo imaginaba la música que salía del piano?

Tienes que oírla en tu cabeza, le dijo muy serio.

Zia se levantó. Musiki se había apartado del piano y le dejaba su sitio.

Ella avanzó con una mezcla de timidez y de miedo. ¿Lo oiría?

Musiki se acuclilló a su lado.

Pon un dedo en cada tecla, desde la izquierda hacia la derecha. Cada tecla sonará en tu cabeza un poco más alta.

Zia probó. Apoyó el meñique, luego el anular, el corazón, el índice...

Otra vez. Ahora Musiki emitía entre sus labios el tono.

¿Sí?

Se volvió hacia Musiki y sonrió.

Sí.

¡Otro cofre que se abre cuando Zia enseña su dentadura perfecta!

Tú sola.

Zia volvió a empezar. En silencio. Una, dos, todas las teclas, una por una.

Sí, la oigo, dijo Zia.

Otra vez, dijo Musiki.

Y mientras Zia volvía a posar las mariposas de sus dedos sobre las teclas blancas y negras, Musiki apoyó la cabeza en su espalda, apretando cuanto podía la oreja en ella. Cuando la separó, también él sonreía:

¡Sí!

Mira, le dijo el niño a la niña poniéndose frente al teclado. Y mientras presionaba las teclas, iba reproduciendo con sus labios el sonido de cada una, despacio una vez, más deprisa después. Hasta que Zia reconoció la melodía de una canción infantil. Rio, empujó a Musiki para que se apartara de nuevo y, en silencio, volvió a pulsar las teclas.

Los dos: ¡Síiii!

Aquella misma tarde, Musiki llevó a Zia a la tienda de Mzungu. Se sentaron y esperaron.

¿Dónde está?

En la selva, tomando prestadas las voces de los monos.

¿Para qué?

Musiki dudó. No lo sabía, así que aventuró:

Para entender lo que dicen.

Zia asintió, apoyó la cabeza en las rodillas y cerró los ojos. Al hacerlo, la música que había imaginado bajo las yemas de sus dedos ocupó su cabeza mezclándose con las voces de los monos. Y se extendió sobre ellos dos, sobre la tienda del Blanco, sobre toda la aldea, sobre la selva.

Cuando Mzungu llegó con sus trastos, sudoroso como siempre, no pareció sorprenderse de ver al niño acompañado.

Pasad.

Les ofreció agua de coco y después aguacates y frutos secos, mientras ponía en la televisión otro concierto. Zia no podía abrir más los ojos. De vez en cuando volvía la mirada hacia Musiki y sonreía, excitada y asombrada al mismo tiempo. Esta vez el concierto era de Haydn, y junto al piano, que aparecía poco, había un violín. O más bien una violinista. Con su vestido azul oscuro, erguida sobre el resto de los músicos, centraba la atención de las cámaras. Y allí, al otro lado del mundo y del tiempo, sin saber bien lo que estaba viendo y escuchando, la de Zia.

Mzungu miró los dedos de la mano izquierda de la niña, que apretaban sobre la alfombra cuerdas imaginarias, mientras que la mano derecha se movía en vaivén sobre su propio muslo. La vio con los ojos clavados en la pantalla, con las manos haciendo movimientos inconscientes mientras trataba de comprender y emular lo que veía y escuchaba.

Y Mzungu pareció tener una idea. Mientras los niños seguían absortos ante la televisión, buscó y rebuscó entre sus cajas de discos hasta encontrar el que buscaba.

Zia, quiero que veas esto.

El CD relampagueó en la penumbra de la tienda.

Zia no entendía, pero Musiki ya relacionaba una cosa con otra, aunque aún le costara entender que dentro de aquella pequeña caja negra rectangular hubiera tanta gente distinta, tanta música.

Cuando la pantalla se volvió a iluminar, Zia dio un respingo. Allí estaba. Una joven negra, con un vestido negro hasta los pies y un violín en la mano. Aplausos. A su lado, una mujer blanca que acariciaba lo que parecían líneas de sol entre los árboles, sostenidas por un maravilloso arco dorado que recordaba la silueta de un león al acecho.

Arpa, dijo Mzungu.

Arpa, repitió ella.

El cisne, de Camille Saint-Saens, susurró Mzungu.

Cisne, de Kamil Sansán, dijo ella sin darse cuenta de que lo decía en voz alta. Musiki y ella solo tenían oídos para lo que empezaba a manar desde el violín manejado por la muchacha negra. Mzungu se sentó en la alfombra, un metro por detrás de los dos niños absortos. La música se elevaba y descendía dulcemente, y la violinista negra balanceaba su cuerpo con ligereza de bambú.

Seis o siete minutos después, la pieza concluyó y la gente, dentro de la caja con cristal, aplaudió. Zia lloraba sin hacer nada para impedir que las dos lágrimas, tan calientes, rodaran por sus mejillas.

Quiero uno, susurró.

Solo Musiki la entendió.

Había más grabaciones. Mzungu les dijo que la chica negra del violín se llamaba Tai Murray. Tai, repitió Zia. Tai, repitió Musisiki. Americana, dijo Mzungu. Americana, repitieron los niños. Y el Blanco volvió a buscar y encontró otro CD con la grabación de Tai Murray de las seis sonatas de Eugene Ysaye's, y el sonido se adueñó de la tienda, esta vez mucho más claro y rotundo, tanto que Zia se tuvo que echar de lado sobre la alfombra, mareada, casi desmayada.

Cuando salieron de la tienda de Mzungu, Zia iba en silencio. Musiki la miró de reojo y vio que sus ojos estaban rojos.

¿Qué te pasa?

Nada.

Sí, qué te pasa.

Zia aún se encogió de hombros una vez. Déjame. Pero al final murmuró:

Tú tienes tu piano, pero yo...

¿Qué?

Quiero...

un violín

de madera roja.

Acajú, dijo Musiki.

Y llevó a Zia a ver a Serem'ala, no sin antes pasar por su choza para coger algunos regalos. La abuela de Zia tejía alfombrillas de muchos colores. Eligió una roja con pequeños rombos azules. Su forma era ovalada, como la de los viejos escudos que aún usaban los hombres en las celebraciones, y que habían sido sustituidos por modernas armas hacía ya mucho tiempo.

Pero la mente de los niños no estaba en ese momento para pensar en la lejana guerra, a pesar de que se había llevado a sus padres.

Serem'ala no pudo evitar soltar una carcajada cuando le dijeron que necesitaban un buen tronco de acajú. Lo tenía. Agradeció como regalo la alfombra de la abuela de Zia, a la que conocía muy bien, y los ayudó.

¿Así?

Así.

Y en un par de horas lo tenían. Un violín perfectamente pulido, aunque tan pesado como una garrafa de agua. Las cuerdas las sacaron de la cola del burro de un campo cercano, trenzándolas, y las clavijas eran los aisladores de una instalación eléctrica que el gobierno había hecho en torno a la choza del jefe de la aldea en los años de bonanza. Una instalación que, por cierto, nunca pudo funcionar porque no había electricidad.

Un violín, dijo Serem'ala poniéndolo en las manos de Zia.

¡Un violín!, suspiró ella.

Un violín, murmuró Musiki. Más de lo que había soñado. Ahora él tenía su piano, y Zia su violín.

Y así los encontró Mzungu cuando salía de la aldea para adentrarse en la selva. Se sentó en la hierba y contempló a los dos niños, entregados a la música imaginaria, moviendo los dedos en el teclado y el traste con absoluta concentración. Se miraban el uno al otro, se seguían en el silencio absoluto, que solo rompía el sonido ligero y alegre de la selva.

Cuando se fue, rebosante de ternura, sigiloso para no distraerlos, otra idea comenzó a rondar por la cabeza de Mzungu. Pasó el día esperando a que los monos se acercaran a los micrófonos inalámbricos que tenía ocultos en los huecos de los árboles y grabando sus conversaciones y parloteos, pero con la mente en su idea. Las pautas que llevaba buscando tanto tiempo se le resistían, pero de vez en cuando podía identificar ya ciertos sonidos que se repetían, y que sin duda tenían un significado jerárquico: soy el jefe, vete de aquí, este es mi territorio, cuidado, alerta, huye, ataca.

Sin embargo, aunque lo intentara, no podía dejar de pensar en Zia y Musiki, en sus instrumentos, en el enigma de su aparente silencio. Aparente. Regresó con prisa a la tienda, en la aldea. Rebuscó entre sus papeles, encontró uno. Eso era. ¡Eso era!

Atardecía. El sol rebuscaba entre las copas de los árboles, a los que volvían los pájaros satisfechos. Mzungu no lo estaba. Esperaba con impaciencia a que aparecieran los dos pequeños con sus instrumentos, camino de sus chozas.

Y allí estaban, por fin, cuando ya creía que no los vería ese día. Musiki cargaba en su hombro derecho su piano de ébano, con el otro brazo en jarras, y Zia llevaba apretado contra el pecho su violín de acajú.

Cuando vieron al blanco se quedaron inmóviles un instante. Él se levantó, saludó con la mano. Se acercó a ellos, sonrió. Los llevó a su tienda, les ofreció merienda, les preguntó por su piano y su violín.

Bien.

Bien.

Y de pronto:

¿Os gustaría venir conmigo a un concierto?

Los ojos, tan abiertos. La palabra volando sobre sus cabezas, como pájaros que regresaban a sus nidos.

¿Un qué?

Un concierto,

repitió Mzungu.

Un concierto, me dije a mí mismo, abriendo los ojos. Ningún coche se había movido, pero algo se había movido en mi cabeza. Hasta el momento, todo lo que iba «viendo» sucedía sin más, pero por primera vez una idea se abría paso en la oscuridad. La historia transcurría como si la estuviera viviendo, sin saber adónde me llevaba, salvo al gozo de imaginar a los dos niños tocando sus instrumentos mudos; pero ahora me anticipaba a ella, casi me relamía. Mzungu y yo teníamos la misma idea, y eso me hacía pensar que Mzungu era yo, o que yo era Mzungu. Un científico en la selva, un soñador en su selva urbana, atascado. Busqué con la mirada, entre las gotas de lluvia de los cristales, a los dos muchachos con sus pañuelos y sus bocadillos. Pero ya no había rastro de ellos. Volví a cerrar los ojos.

Ni el niño ni su prima lograron responder a Mzungu. ¿Un concierto? Tragaron saliva.

Como los que habéis visto en mi tienda, pero de verdad.

No contestaron, les era imposible.

¿Habéis estado alguna vez en la ciudad?

Esta vez sacudieron la cabeza los dos, negando.

La semana que viene, dijo Mzungu, toca en el teatro una orquesta.

Silencio. Musiki tensó todos los músculos.

Una orquesta muy buena, dijo el Blanco.

Los ojos del pequeño no podían abrirse más, miraba de reojo a Zia.

¿Tan buena como las de la tienda?

Sí, igual de buena. Es una orquesta de Viena, la capital de la música.

Los niños no necesitaban hablar: hubieran dado cualquier cosa (salvo su piano de madera de ébano y su violín de acajú) por ver y escuchar a aquella orquesta.

¿Os gustaría venir conmigo?, repitió Mzungu inclinándose sobre ellos. Yo pensaba ir de todas formas. Serem'ala tiene que viajar también a la ciudad a sus negocios, y no tendrá ningún problema para llevarnos a los tres en su Land Rover.

Musiki tuvo que respirar profundamente. Le faltaba el aire.

Sí, logró decir por fin. Miró a Zia, que afirmó con la cabeza, incapaz de murmurar siquiera un sí.

Desde esa tarde, todos los días, los dos niños acudieron a la tienda verde de Mzungu. Ya habían instalado en ella su piano y su violín, y se mostraban incansables: veían y escuchaban la televisión mientras tocaban en silencio sus instrumentos de ébano y acajú. Una y otra vez, y solo de vez en cuando sonreían, pura y total concentración. En ocasiones le pedían a Mzungu, que leía en un rincón, que apagara la televisión, y durante largos minutos ejecutaban piezas imaginarias, repitiendo los gestos que habían visto, repitiendo en sus mentes la música.

Organizar el viaje fue complicado. Mzungu tuvo que explicarles a las madres de Musiki y Zia adónde iban: A la ciudad, vuelven al día siguiente, sí, estarán bien, no se preocupen, les daré de comer, sí. Las madres consultaron con los ancianos, porque los padres estaban ausentes, en la guerra-que-no-acaba-nunca, y los ancianos dijeron por fin que sí. La excitación se apoderó de los niños por completo.

No, no tienen que pagar nada. Sí, estarán seguros. Sí, va a ir con Serem'ala, que conoce bien la ciudad. Sí, dormiremos los cuatro en la casa de la hermana de Serem'ala. Claro que los cuidaremos, comerán bien, llevaremos agua abundante, y también quinina. Saldremos antes de que asome el sol sobre la cordillera, y estaremos de vuelta antes del atardecer del día siguiente.

Y antes del amanecer del día del viaje, los dos niños se levantaron sin haber podido dormir apenas, cogieron sus cosas, comieron algo y se despidieron de sus madres. Se encontraron bajo la luna y caminaron hacia la tienda de Mzungu. Un perro ladraba a lo lejos y las aves nocturnas lanzaban también sus mensajes misteriosos al aire. Se diría que era un diálogo entre especies. Zia y Musiki se sentaron en la tierra roja, pegados a la lona de la tienda del Blanco, y esperaron.

Mzungu se despertó al escuchar sus cuchicheos y se volvió a quedar dormido.

El despertador sonó justo cuando el sol comenzaba a iluminar la bruma de la mañana. Al entreabrir la puerta de lona de la tienda, vio que los niños estaban ya cerca del coche a cuyo volante dormía Serem'ala. Los niños cargaban pequeños bultos, seguramente con algo de comida preparada por sus madres: mangos o piña, frutos secos y el habitual estofado de cacahuetes.

Musiki había pensado en llevar su piano, y Zia su acajú, pero desistieron y, por fin, solo él llevó su pequeño tambor, el tutu, y la mayor parte del camino hizo que todos cantaran canciones, las canciones de siempre sobre la vida de la selva, la de sus habitantes y la de sus espíritus. Canciones sobre animales, sobre cazadores y pastores, sobre las estrellas y la luna... Musiki llevaba el ritmo con su tutu, y Zia daba palmas mientras cantaban los dos. Serem'ala también palmeaba sobre el volante, casi sin darse cuenta. Mzungu permanecía silencioso y feliz, contemplando el rápido paso de la selva ante sus ojos y pensando vagamente en sus monos, a los que ese día no robaría la voz.

Casi ocho horas después, tras atravesar grandes extensiones de selva y de sabana, llegaron a la ciudad, que era una masa de colores en movimiento. Gente, cabras, coches, motos, bicicletas, tenderetes abarrotados, soldados, autobuses, camiones...

Sobre los colores densos se levantaba una nube de polvo rojizo. Y de la ciudad brotaba un sonido confuso, desordenado y estridente, pero lleno de vida.

El carpintero condujo con habilidad y paciencia entre nubes de peatones sin orden, vehículos desvencijados y animales impasibles, entre una batahola de bocinazos y toses de motores extenuados.

De pronto, levantó su mano blanca y señaló un gran edificio de color crema, adornado con ostentosos dorados y banderas.

El auditorio, proclamó orgulloso.

Los niños se quedaron en silencio, reverentes, mientras Mzungu se apeaba del Lanrova. El edificio era enorme, pero Musiki no podía evitar pensar con asombro que, aun así, cabía en sus ojos. En la taquilla, Mzungu compró las entradas. Serem'ala dijo que él no se quedaría y se despidió. Se iba a lo suyo, y volvería cuando el concierto acabara. Después los llevaría a casa de su hermana.

Faltaban todavía dos horas para el concierto, de modo que, los tres juntos, deambularon por los alrededores del auditorio. Se sentaron en el parque que hay frente al auditorio y comieron. Mzungu había comprado a un vendedor ambulante empanada y un refresco, y los niños dieron cuenta de su estofado de cacahuete y de la fruta.

Atardecía cuando llegó el momento. La gran escalinata del auditorio recibía un sosegado río de espectadores, muchos de ellos blancos.

No sabía que hubiera tantos blancos en el mundo, dijo Musiki, admirado.

Ni yo, sonrió Mzungu.

¿Y los músicos?, preguntó Zia.

Los músicos ya están dentro, ensayando.

¿Ensayando?

Mzungu había usado una palabra de una lengua que no conocía del todo, y en realidad ellos entendieron «probando la sopa». Los tres se rieron hasta no poder más.

No, la sopa no, aclaró Mzungu secándose las lágrimas: los instrumentos.

Musiki y Zia se quedaron en silencio. Habrían querido ver probar los instrumentos a la orquesta. Sentían una insaciable curiosidad por todo.

La entrada en el auditorio les cortó la respiración. Escaleras de mármol, inmensos maceteros cuajados de flores, lámparas de cristal colgando del techo, luces por todos lados, resplandor, murmullo de terciopelo, palabras incomprensibles, ujieres con librea...

Los espectadores blancos (y no solo), a su vez, los miraban a ellos con perplejidad flemática. Su ropa les decía bien a las claras que no eran niños de ciudad, sino de aldea. Si les hubieran dicho que la orquesta vienesa iba a tocar en traje de baño no hubieran sentido más asombro, ni tampoco lo hubieran disimulado con mayor apariencia de indiferencia.

Pero ni Musiki ni Zia hacían nada que justificara la más leve queja. Silenciosos, cogidos de la mano como si no quisieran arriesgarse a ser tragados por aquel edificio prodigioso, avanzaban tras Mzungu.

Y la entrada al teatro...

Musiki pensó en ese instante que sería incapaz de contárselo a su madre, ni siquiera a su padre si alguna vez volvía de la guerra que se lo llevó cuando él apenas aprendía a caminar. Nunca había visto tanto color rojo y dorado.

Las butacas, de un rojo sangre; las paredes y las cortinas, de un granate aún más apagado; el telón, del mismo terciopelo granate de las butacas y las cortinas. Y todo rodeado del oro viejo que le hizo creer a Musiki que se encontraban en el corazón de una de aquellas montañas del sur que se decía estaban repletas de oro.

Y en el escenario... los instrumentos. Los de verdad.

¡Mira!, susurró Musiki en el oído de Zia mientras señalaba el piano. Relucía, brillaba, y bajo su tapa abierta parecía haber un verdadero tesoro de música dormida. Y los atriles, y el arpa con la misma silueta de leopardo al acecho que vieron en el televisor, y los demás instrumentos apoyados en las sillas.

Habían sido de los primeros en entrar, pero la platea se iba llenando poco a poco con la misma gente que antes los miraba con asombro. Un murmullo blando y educado los rodeaba, y desde los palcos algunos miraban a los niños usando pequeños prismáticos.

Ninguno de los dos osaba levantar la voz. Bastaba con sus corazones, que latían tan fuerte como si fueran tambores.

Y, de pronto, un río de músicos comenzó a invadir el escenario desde las sombras. Vestidos de negro, sí, pero con camisa blanca y casi todos con aquel extraño lazo en su cuello. Entre ellos había también mujeres, y varias de ellas llevaban un violín en una mano y el arco en la otra. Zia vibraba como si ella misma fuera un instrumento solo con verlas. Ninguna era negra, como Tai Murray.

Musiki respiraba también con dificultad. Presionaba tanto la mano de Zia que ella tuvo que darle golpecitos con la otra para que aflojara. Mzungu hablaba, pero ellos no eran capaces de entender lo que les decía. La vida les decía mucho más.

Los músicos se fueron sentando y comenzaron a tocar sus instrumentos con un sonido discordante, caótico.

Los niños miraron hacia Mzungu preguntándole si aquello tan extraño era el concierto. Mzungu se rio y negó y aclaró:

Están afinando mientras esperan al director.

¿Afinando?

Mzungu sonrió: claro, sus instrumentos de ébano y acajú... siempre estaban afinados. Y trató de explicárselo como pudo.

Los niños se tranquilizaron en sus butacas, aunque no lo entendían del todo. Era verdad: su piano y su violín... ¡siempre estaban afinados!

Y por fin apareció el director. De haberle visto en otro lugar se habrían reído de él, pensando que era un blanco chiflado. Pequeño, delgado, con unos lentes que parecían demasiado grandes, y con una melena hirsuta y canosa flotando sobre su pálida cabeza. El frac negro, por otra parte, parecía una cola de cocodrilo. Pero allí, sobre el escenario, mientras subía a su tarima, no les provocaba risa, sino admiración, respeto y hasta un poco de temor. ¡El director!

En la platea, los palcos y los anfiteatros se escuchaban las últimas toses y carraspeos, coincidiendo con el sonido prolongado de un violín solitario probando la afinación de una última cuerda y afinando también el corazón de Zia y Musiki para lo que iban a vivir. Se hizo el silencio. Alguna tos leve. El director se puso de puntillas en su tarima y levantó los dos brazos sosteniendo en su mano derecha la batuta, que señalaba al techo del teatro. Musiki la vio desde la distancia, arrancando brillos a los focos, hasta que apuntó hacia los violines, y una ola de sonido armonioso y suave invadió el aire.

Luego, el piano irrumpió con fuerza, arrastrando a toda la orquesta.

Musiki no había escuchado jamás la sinfonía, pero su mente, tras los primeros instantes de fascinación, pareció adelantarse a cada nota, sabía hacia dónde se dirigían todos y cada uno de los instrumentos. Sin darse cuenta, volvió a tomar la mano de Zia y la apretó. Ella sí que se dio cuenta. Esta vez no le hacía daño, la mano de Musiki parecía un animal vivo, estaba llena de pequeños movimientos y temblores, como si quisiera llevar a Zia a alguna parte. ¿Adónde?

Y de pronto tuvo una certeza absoluta: a la sinfonía. Zia miraba la batuta del director, de la que parecía manar toda la música de todos los instrumentos, como el árbol atrae a los relámpagos, y hubiera podido dividir un segundo por diez, y otra y otra vez, hasta que fue capaz de advertir que los casi imperceptibles movimientos y estremecimientos de la mano de Musiki iban por delante. Era la mano de su primo, pero se adelantaba una fracción de segundo a la mano del director. Entonces cerró los ojos, se dejó llevar y sintió la música. Como un todo, inseparable de la vida. Podía anticiparla también, empezaba a vislumbrar como Musiki dónde desembocaba cada pequeño arroyo del inmenso río de la sinfonía. Ni siquiera pensaba en el violín, como al principio, porque el violín era parte de la música que escuchaba un instante después, tanto como el roce de una hoja contra otra es parte del sonido de la selva.

Los demás, los espectadores elegantes, el propio Mzungu, seguían la música tal y como se iba produciendo. Pero para Musiki y Zia era como si se hubieran subido a lo más alto de la cordillera y vieran el río en su conjunto, con todas sus curvas y meandros, como si contemplaran todo el océano de música al mismo tiempo... La que quedaba atrás, la que se estaba produciendo, y la que iba a manar de los instrumentos y los dedos de los músicos.

No podrían decir cuánto tiempo había durado el concierto, ni cuántos movimientos y piezas habían escuchado y aplaudido. Al final batieron las manos a rabiar, como el resto del teatro, mientras los músicos y el director y la orquesta se inclinaban dando las gracias una y otra vez.

Cuando los elegantes espectadores acabaron de aplaudir, ellos y Mzungu aún siguieron haciéndolo casi medio minuto más. Sin darse cuenta se habían puesto de pie, con un mismo nudo en las tres gargantas. Los espectadores se volvían hacia ellos y sonreían, mientras se ponían de pie para retirarse, educadamente.

Se quedaron solos. Los músicos ya habían abandonado el escenario cuando por fin dejaron de aplaudir. Mzungu les hizo una seña con la mano para indicarles que era hora de irse. Pero cuando llegaron al hall del teatro, buscando la salida, pareció acordarse de algo.

Esperad aquí, les dijo.

Musiki le miró con curiosidad mientras Mzungu desaparecía por una pequeña puerta.

Esperando, hablaban entre ellos.

¿Es como imaginabas?

Zia lo pensó un momento antes de decir:

Sí, pero mucho más.

¡Me ha gustado cuando la música volaba!

Pues a mí los violines me han hecho llorar...

¡Yo tenía ganas de ponerme a bailar!

¡Menos mal que no lo has hecho! ¡Nos hubieran echado!

¡A Mzungu también!

Risas.

Alguien, en efecto, se había reído cerca de mí, cerca de mi coche. Entre las bocinas y los pitidos de los guardias, una especie de carcajada blanda había atravesado mi cristal.

Y allí estaba, de nuevo, el muchacho negro de los pañuelos. Hablaba con alguien a quien yo no veía, tal vez la chica de los bocadillos. Su risa sonó en la realidad, convirtiéndose en la risa de los niños de la historia que me seguía contando a mí mismo.

No, no me costó ningún trabajo volver a olvidarme del atasco de la ciudad. Me atraía más la historia de Musiki y Zia, lo que aún debía suceder en el teatro, lo que iba a hacer el Blanco, Mzungu. Lo que hubiera hecho yo. Me arrellané en el asiento. Confieso que estaba excitado ante lo que me esperaba aún, allá lejos pero al mismo tiempo cerca, más cerca imposible.

Mzungu, el Blanco, golpeó discretamente la puerta del camerino del director de la orquesta y esperó hasta que la puerta se abrió.

El director

se secaba el sudor de la frente y el cuello con una toalla blanca mientras abría la puerta. Debía de pensar que era un admirador. Mzungu se presentó y ambos estrecharon sus manos.

He venido a ver a su orquesta, le dijo al director, con los miembros de otra orquesta.

¿Otra orquesta, aquí?, preguntó el director, sinceramente extrañado.

Sí, una orquesta... muy especial. Bueno, en realidad es un dúo. Piano y violín.

¿Especial? ¿Por qué?

Son... niños.

¿Niños?

Sí, nativos.

Ah, dijo el director sonriendo. Me pareció ver en la platea a dos niños negros que aplaudían con entusiasmo, sí. ¿Estudian música aquí, en la capital?

Mzungu bajó la cabeza, sonriendo.

No, señor. En realidad no estudian música. La hacen.

Y le explicó todo. Cómo había nacido el interés de Musiki por la música clásica en su tienda de campaña. Y cómo se había construido un piano rudimentario del que no podía salir ninguna música, y cómo había ayudado a su pequeña prima a construirse un violín de madera de acajú del que tampoco salía una sola nota, y cómo ensayaban en silencio cada tarde en su tienda después de ver y escuchar un concierto en un vídeo.

Pero creo que en su cabeza, dijo Mzungu mirando a los ojos del director, es música. De verdad.

El director no habló durante casi un minuto. Sostenía la mirada de Mzungu intentando asimilar lo que acababa de escuchar. Hasta que al final dijo:

Me gustaría conocerlos.

Gracias, contestó Mzungu. Los ojos le brillaban.

El director le siguió por los pasillos y las escaleras hasta que llegaron al vestíbulo, donde esperaban los dos niños sentados en un pequeño banco forrado de terciopelo granate.

Musiki, al verlo allí, tan cerca, no sabía qué decir. Y cuando el director le ofreció su mano estirada rio, como solía hacer cuando le faltaban las palabras. Al estrechar su mano sintió el calor que había en ella todavía. No le costaba ningún trabajo sentir la música que aún pasaba por la mano del director. Mientras el director estrechaba también la de Zia, Musiki observaba sus ojos. Se dio cuenta de que estaban empañados, húmedos, pero no hubiera sabido decir si se debía al calor o a otra cosa.

Después de todo, el único blanco que conocía era Mzungu.

Cuando separó su mano de la de la niña, el director se quedó inmóvil, mirándolos a los dos mientras parecía pensar algo. Primero, muy serio. Luego, volviendo a recorrer sus rostros con una sonrisa en los labios. Hasta que les dijo:

¿Os gustaría probar con instrumentos de verdad?

Mzungu fingió con educación y empezó a decir que no, como si aquello fuera un despropósito, pero el director le interrumpió levantando una mano.

Tengo una gran curiosidad, aseguró.

Zia miró a Musiki. En su cabeza había olas de música. Hasta sentía un mareo. ¿Por qué Musiki no decía que sí, que sí, que sí?

Fue Mzungu el que habló:

Musiki, os lo ofrece de verdad.

Solo entonces Musiki volvió a sonreír con timidez, agitó la cabeza como negando, pero por fin dijo en voz baja:

Sí. Sí.

Y ella: Sí.

Mzungu y el director se miraron, sonriendo también.

El escenario estaba en penumbra. Algunos músicos de la orquesta recogían aún sus instrumentos, los encerraban en sus estuches, ordenaban partituras y plegaban atriles...

Señores, dijo en voz alta, sorprendentemente alta, el director. Van a ser tan amables de dejar a estos pequeños músicos sus instrumentos, ¿verdad?

Los músicos vieneses se miraron unos a otros, después de ver a los niños negros. Primero perplejos, luego con sonrisas, hombros encogidos, una carcajada simpática.

El director se acercó a Musiki.

Así que tú eres el pianista, ¿no?

Mzungu tradujo.

Musiki no sabía qué decir...

Bueno, logró articular, yo...

El director le tranquilizó. Y le llevó del hombro hasta el piano mientras se volvía hacia una chica que aún no había guardado su violín.

¿Te importa? Y señaló a Zia.

Lo tratará bien, la tranquilizó Mzungu.

Ella parecía encantada. Se agachó sobre Zia, le puso en las manos el violín y el arco y luego le dio un beso en la mejilla. Sonreían las dos, sus ojos chispeaban del mismo modo.

El director intervino de nuevo para preguntarle a Musiki, que ya estaba sentándose en la banqueta, ante el piano:

¿Y qué vais a tocar?

Mzungu tradujo.

Musiki lo sabía muy bien:

Kamil Sansán, *El cisne.*

Los ojos del director se abrieron de par en par, sonriendo detrás de sus cómicas gafas. Murmuró algo, les indicó con la mano extendida el piano y el lugar en el que debería situarse Zia. Y mientras los dos niños avanzaban, casi de puntillas, hacia sus puestos, el director se situó detrás de su atril. No necesitaba partitura, porque parecía conocer muy bien *El cisne* de Saint-Saens.

Mzungu bajó hasta la primera fila del patio de butacas. Los músicos le siguieron. Todos se sentaron. De nuevo una tos nerviosa, que hizo pensar a Musiki que tal vez era algo que había que hacer siempre antes de la música.

Zia pensaba en Tai Murray. Se veía a sí misma con un largo vestido negro, el pelo recién rizado, limpio y perfumado. Asociaba el aroma de las flores a la música.

El director parecía flotar, balanceándose sobre un pie y luego sobre el otro. Musiki miraba fijamente el teclado de marfil, con las manos entrelazadas sobre sus muslos, y la enorme araña de cristal del techo emitía destellos de luz, fragmentos de un cielo que solo se podía adivinar. Fue un segundo tan solo, pero en ese instante se sintió envuelto en el silencio de la enorme sala, el océano de la música, sus sueños de niño de la selva, la memoria dulce de su madre dando el pecho a su hermano, la ausencia dolorosa de su padre, los pájaros en los árboles, la montaña sagrada en su azulado concierto de siglos...

Zia, sin embargo, ya no pensaba en nada que la distrajera. Solo en la primera nota.

El director miró a los niños desde la altura,

levantó la batuta

y se quedó inmóvil, como si flotara en el aire.

Luego golpeó una, dos, tres veces en el atril, elevó la mano izquierda graciosamente, apuntó al techo del teatro, miró hacia Musiki...

Apreté con fuerza los ojos. Detuve en mi mente ese instante, saboreándolo. Ahí estaba. Había llegado. Solo me quedaba ver y escuchar.

Musiki notaba la mirada del director clavada en la suya. Levantaba los dedos sobre las teclas brillantes, tensaba los codos y sentía el agua de la música prisionera tras la presa de su mente. Vio cómo descendía la batuta, que le iba a indicar un instante después que ya podía liberar tanta agua, tanta belleza... Y Zia miraba al mismo tiempo al director y a Musiki. Oprimió las cuerdas de su violín con los dedos de la mano izquierda, levantó el codo hasta la altura de su barbilla y posó suavemente el arco, esperando el ataque del piano para irrumpir ella también.

El director acabó su movimiento, tensando la batuta con decisión.

Y una ola de sonido...

Se elevó a mi espalda, duro, cortante, exigente...

¡El sonido de las bocinas!

Y mis ojos se abrieron de golpe a la realidad de la luz verde del semáforo y los pilotos encendidos, y el chirrido estridente del silbato de un guardia, y los gestos desesperados que me dirigía para que arrancara de una vez, para que metiera la primera y pisara el acelerador.

No podía reaccionar. El guardia me miraba furibundo bajo la lluvia y por un instante creí que iba a lanzar su silbato de acero contra la carrocería de mi coche. Arranqué, metí la primera, pisé el acelerador. El atasco, por fin, se disolvía y mi coche avanzaba deprisa, cada vez más deprisa entre otros coches. Lancé una última mirada a mi alrededor y los vi en la acera, bajo una farola: el chico de los pañuelos, la chica de los bocadillos. Hasta que dejé de verlos.

Me pregunté si aún podría llegar a tiempo al ensayo, si mis colegas habrían estado tocando sin mí.

Y nunca, nunca podría saber qué sonido habría manado de aquel piano y aquel violín, en el teatro grande y dorado.

Por el retrovisor vi que detrás de mí la fila de coches se detenía de nuevo en el semáforo, y al muchacho negro de sonrisa blanca, blanca como las teclas de un piano, que se acercaba corriendo a uno de ellos, con sus paquetes de pañuelos en las manos. Pero el guardia silbaba con violencia y les indicaba con las manos que siguieran, que siguieran. Me alejaba. Volví a mirar el reloj, toda la magia ausente, disuelta en aire y en lluvia. Me iba.

TE CUENTO QUE GONZALO MOURE...

... nació en 1951, pero volvió a nacer en 1989, cuando decidió dedicarse a lo que él llama «escrivivir». Desde entonces ha publicado más de 35 libros. Entre otros premios nacionales e internacionales, en 1995 ganó El Barco de Vapor con *Lili, Libertad* y en 2003 obtuvo el Gran Angular por *El síndrome Mozart*. Últimamente ha afirmado que si el siglo XX fue el de la socialización de la lectura, el XXI será el de la escritura: «el fin del despotismo ilustrado del escritor, porque escritores somos todos».

Pero Gonzalo no solo se «alimenta» de la escritura. Por fin ha emprendido la aventura del cine, una de sus asignaturas pendientes. Ha codirigido una película en el Sahara, que verá la luz a finales de 2014.

SI TE APETECE LEER OTRA NOVELA DE ESTE AUTOR, ¿POR QUÉ NO PRUEBAS CON **LILI, LIBERTAD**? Esta es la historia de Lili (o, como prefiere que la llamen, Libertad), que se ha trasladado a una nueva ciudad y a un colegio distinto y vive sola con su madre, con la que apenas habla. Y de repente llega el carnaval. ¿Qué cambios traerá a la vida de la niña?

LILI, LIBERTAD
Gonzalo Moure Trenor
EL BARCO DE VAPOR, SERIE ROJA, N.º 92

SI TE HA GUSTADO ESTA HISTORIA, SEGURO QUE TAMBIÉN TE GUSTARÁ **CACAO EN CRUDO.** En esta novela conocerás a Pascal y a Kojo, que han caído en manos de gente despiadada. De día trabajan en una plantación de cacao, y de noche recuerdan cómo era su vida en el pasado y sueñan con volver a casa... Está claro que tienen que escapar de aquel lugar, pero ¿qué pueden hacer dos niños para huir del infierno que esconde el comercio del chocolate en África?

CACAO EN CRUDO
Sally Grindley
EL BARCO DE VAPOR, SERIE ROJA, N.º 207

OTRA HISTORIA CON ÁFRICA COMO PROTAGONISTA ES **KULANJANGO, EL VIAJE DEL ÁGUILA.** La historia arranca en Escocia, donde vive, Callum, un niño de diez años. Su vida transcurre sin sobresaltos hasta que aparece Iona, una niña valiente y con mucho que contar. Callum e Iona aman la naturaleza, y esto hace que acaben por compartir un secreto relacionado con un águila que vive en el lugar. El águila los llevará hasta África.

KULANJANGO, EL VIAJE DEL ÁGUILA
Gill Lewis
EL BARCO DE VAPOR, SERIE ROJA, N.º 199

SI LO QUE MÁS TE HA GUSTADO DE **MUSIKI** ES VER CÓMO SE VIVE EN OTRAS PARTES DEL MUNDO, **NIÑOS DE LOS CINCO CONTINENTES** está hecho para ti. En este libro, el autor hace un recorrido fotográfico por los cinco continentes (África, América, Europa, Asia y Oceanía) y nos muestra la vida de muchos niños. Cada uno de ellos nos presenta a su familia, nos describe cómo vive y nos explica cuáles son las costumbres de su país o región.

NIÑOS DE LOS CINCO CONTINENTES
Uwe Ommer, Laure Mistral
y Anne-Sophie de Monsabert